LES COMBATS DE TI-CŒUR

À toutes ces femmes qui m'ont encouragée
à persévérer dans ce projet.

À Steve, l'homme de ma vie, qui accueille
avec amour tous mes élans émotifs.

M. M.

**CATALOGAGE AVANT PUBLICATION DE
BIBLIOTHÈQUE ET ARCHIVES NATIONALES DU QUÉBEC
ET BIBLIOTHÈQUE ET ARCHIVES CANADA**

Monette, Marylène, 1978-
Les combats de Ti-Cœur
(Collection Histoires de vivre)
Pour les jeunes.

ISBN 978-2-923813-09-7

I. Arbona, Marion, 1982- . II. Titre.
III. Collection : Collection Histoires de vivre.

PS8626.O535C65 2013 jC843'.6 C2013-941120-8
PS9626.O535C65 2013

© Fonfon 2013
Tous droits réservés
Direction littéraire : Sophie Sainte-Marie
Direction artistique et graphisme :
Primeau Barey
Révision : Marie Labrecque
Dépôt légal : 3e trimestre 2013
Bibliothèque et Archives nationales du Québec
Bibliothèque et Archives Canada

FONFON
Case postale 76575, Mtl CP Bélanger
Montréal (Québec)
H1T 4C7
Courriel : info@editionsaf.com
WWW.EDITIONSAF.COM
**IMPRIMÉ AU QUÉBEC SUR PAPIER CERTIFIÉ FSC®
DE SOURCES MIXTES**

LES COMBATS DE
TI-CŒUR

TEXTE : MARYLÈNE MONETTE
ILLUSTRATIONS : MARION ARBONA

fonfon

J'ai le ventre qui se tortille comme un bol
de spaghettis tout emmêlés et remplis
de nœuds. Mon cœur fait un solo de batterie.
Dans le corridor, je souffre sur la chaise
du condamné depuis une demi-heure.
Tout le monde me regarde.

CLOC! CLOC! CLOC! CLOC!

Ma mère arrive à grands coups de talon, ce qui me promet
un mauvais quart d'heure dans le bureau du directeur.
Dans quelques instants, ma mère apprendra que son Ti-Cœur
s'est transformé en terreur.

C'est ça, le problème. Je ne suis pas toujours la même personne quand j'agis. Mon oncle Richard, qui habite avec nous depuis que papa est parti, dit que c'est comme si j'avais des marionnettes en moi. Elles jouent différents rôles et elles sont comme sur le ring, en plein combat de boxe.

DING! DING!

Dans le coin gauche, Ti-Cœur le peureux attend sa sentence. Mais dans le coin droit, vous auriez dû voir Ti-Cœur l'arrogant s'enflammer en classe il y a une heure ! Il était sûr de lui, grande gueule, les épaules droites, l'œil invincible. Le genre qui attaque ceux qui l'énervent en leur lançant des insultes bien cinglantes.

Dans mon élan d'insolence, j'ai oublié que monsieur Louis, mon prof, n'est pas membre de l'équipe adverse. Mais comme s'il l'était, je me suis adressé à lui dans la langue qu'on interdit à l'école. Mauvais choix. Et toute la journée a été bien remplie en combats. Retour en arrière…

DING! DING!

Dans le coin gauche, le premier combattant
de la journée est Ti-Cœur le frère parfait,
celui que toutes les petites sœurs veulent avoir.
Comme tous les matins, je prends ma sœurette
par la main, et hop! direction l'école.

Coquin, le chien du voisin, nous salue depuis
la fenêtre avec des jappements de détresse et
des yeux tristes. C'est alors que ma sœur me confie :
– Je me sens coincée comme Coquin. Valérie ne
veut pas que je joue avec Léa. Elle dit que je dois
jouer juste avec elle si je suis son amie.
– Si Valérie t'aime vraiment, elle ne peut pas
t'empêcher de jouer avec d'autres camarades.
Tu es libre ! Ne te laisse pas faire.

À l'école, je quitte ma sœur réconfortée et je me dirige vers le terrain de basketball. J'y surprends Alexis, mon ami de toujours, qui s'avance vers le panier pour recevoir la passe de mon pire ennemi. Kevin est le roi des « m'as-tu-vu-je-suis-le-meilleur », celui qui est toujours le chef parce qu'il est populaire.
Question de briser ce duo, Ti-Cœur le décidé saisit le ballon.
Je m'élance vers le panier, mais Kevin m'arrête :
– Dégage, le moucheron, on est en pleine partie ! Je vais te le rendre après, ton chéri...

DING! DING!

Impossible pour Ti-Cœur le décidé de répondre par un crochet verbal bien visé. C'est plutôt Ti-Cœur le figé qui capitule, mais qui va se plaindre à madame Lucie.

DING! DING!

Heureusement, le prochain adversaire à s'engager
dans le combat est Ti-Cœur le travaillant. Il se
donne à fond dans le cours d'arts plastiques.
Il a les yeux pétillants. Il est énergique et il lutte
contre le moindre coup de crayon imparfait.
Il passe toute la période à améliorer sa bande
dessinée. J'aime beaucoup ce moi. Un vrai héros
quand il est au rendez-vous.

DING ! DING !

Mais mon héros ne se présente pas après le dîner... J'entre
en classe et j'observe les affiches d'animaux que monsieur Louis
colle au tableau. Ça sent les sciences... Youpi ! Les battements
de mon cœur s'accélèrent. Ti-Cœur le joyeux se pointe le bout
du nez dans la catégorie poids léger.

– Aujourd'hui, les amis, nous allons commencer un projet
en équipe sur les familles d'animaux. Chaque équipe en
étudiera une.

Je suis un maniaque d'animaux ! C'est le projet de l'année !
C'est sûr que je ferai la recherche avec Alexis et que nous
parlerons des reptiles !

– J'ai déjà formé les équipes au hasard, ajoute monsieur Louis.

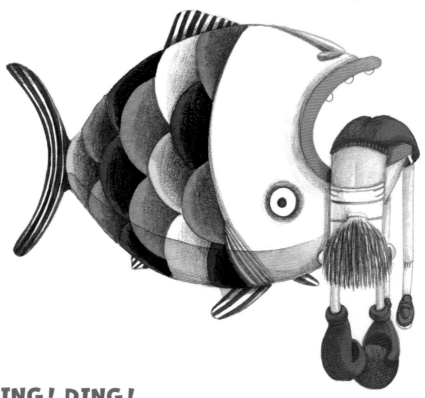

DING ! DING !

Ah non ! on ne choisit pas notre équipe ! C'est en apprenant
le nom de ses deux coéquipiers que Ti-Cœur le grognon
entre en piste pour défendre son titre. Je dois travailler
avec Amélie, une fille insignifiante, et… Kevin ! En plus,
Amélie pige le thème des poissons. LES POISSONS !
L'Univers est un immense complot monté contre moi !

DING ! DING !

Ti-Cœur le paresseux vient rejoindre le grognon. Il a
la main molle, la mâchoire serrée et l'œil à moitié fermé.
Je m'installe sur ma chaise comme sur mon sofa…
Regardez-moi bien aller, je n'ai pas l'intention
de travailler !

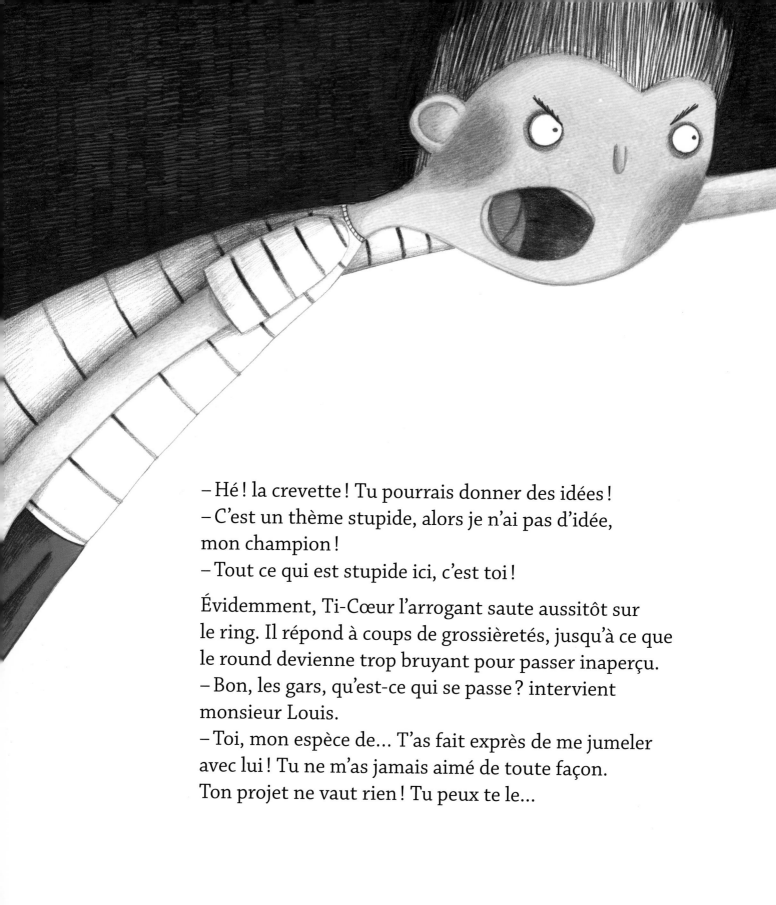

– Hé ! la crevette ! Tu pourrais donner des idées !
– C'est un thème stupide, alors je n'ai pas d'idée,
mon champion !
– Tout ce qui est stupide ici, c'est toi !

Évidemment, Ti-Cœur l'arrogant saute aussitôt sur
le ring. Il répond à coups de grossièretés, jusqu'à ce que
le round devienne trop bruyant pour passer inaperçu.
– Bon, les gars, qu'est-ce qui se passe ? intervient
monsieur Louis.
– Toi, mon espèce de… T'as fait exprès de me jumeler
avec lui ! Tu ne m'as jamais aimé de toute façon.
Ton projet ne vaut rien ! Tu peux te le…

Arrêt du combat ! C'est à ce moment-là
qu'on m'envoie, K.-O., chez le directeur.

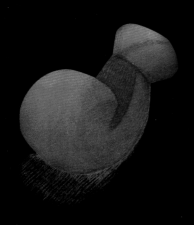

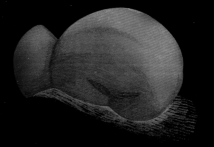

CLOC! CLOC! CLOC! CLOC!

Et voilà, ma mère vient me chercher parce que le directeur m'a suspendu de l'école jusqu'à demain. Elle a son doigt accusateur, son air coriace et sa voix de commandant.
Sur le chemin du retour, elle m'annonce que ma chambre sera ma prison jusqu'à nouvel ordre.

Autres séquelles de cette confrontation en classe : jeux vidéo confisqués pendant un mois, cours de dessin annulés pendant deux semaines, travaux supplémentaires, lettres d'excuses à remettre à monsieur Louis et à mon équipe...

DING ! DING !

La pire conséquence arrive à l'instant.
Je reconnais les pas de mon oncle Richard.
Je lui avais juré de faire attention et
je n'ai pas respecté ma promesse. Je l'ai
sûrement déçu. La porte grince, et Ti-Cœur
le honteux entre en scène. De ses yeux
humides, il fixe le plancher. Il a les joues
en feu et le dos courbé.
– Dure journée, mon Ti-Cœur ?

Étrangement, son regard ne me crie pas de bêtises.
Il est même... compréhensif !
– J'ai encore manqué de contrôle. Je ne suis pas capable
de me retenir.
– Est-ce que tu as honte de toi parce que tu n'as pas choisi
le bon moi ?

À travers mes larmes, j'approuve d'un signe de tête.
– Raconte-moi, mon Ti-Cœur. Ça va te faire du bien.

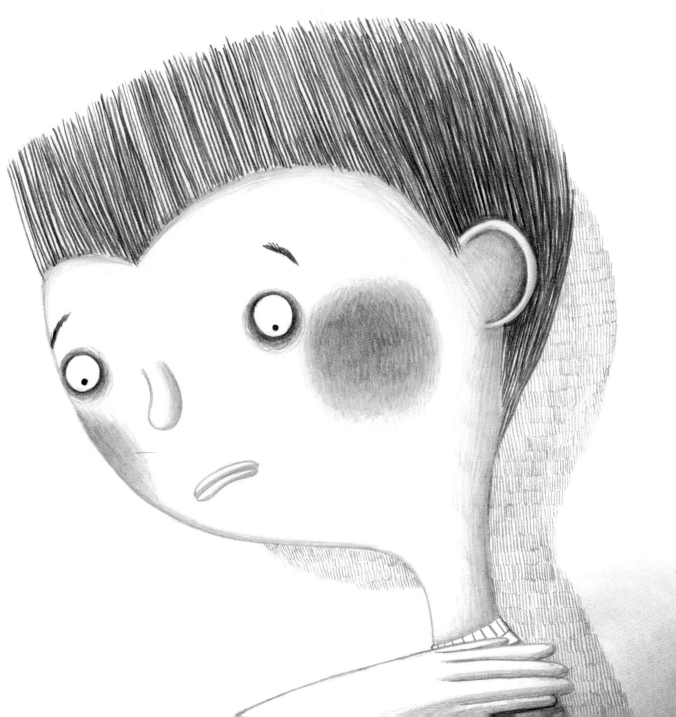

Alors je lui rapporte en détail tous les combats de ma journée.
– Tu sais, chaque moi est utile dans certaines situations,
et chacun en cache un autre. Par exemple, derrière l'arrogant,
le gentil attend son tour.
– Qui décide quel moi va agir ?
– Le petit arbitre en toi. Pour maîtriser l'art du combat,
l'arbitre doit juger la situation et prendre la bonne décision.
– Ouf ! ce ne sera pas facile dans mon cas…
– Ne te décourage pas. Je vais te donner des trucs. Déjà,
cette fois-ci, tu t'es amélioré. Tu as réussi à arrêter la violence
qui voulait éclater dans ton bras. C'est un premier pas.
Pour ça, tu devrais être fier de toi !

DING ! DING !

Ti-Cœur le confiant relève les épaules. Il se
dirige lentement, mais sûrement, vers le ring…
Quel sera le prochain moi à se présenter ?

AMUSE-TOI À FAIRE QUELQUES-UNES DES ACTIVITÉS
SUIVANTES POUR MIEUX TE CONNAÎTRE.

ENCORE MIEUX, TROUVE DANS TON ENTOURAGE QUELQU'UN
QUI EST IMPORTANT POUR TOI ET FAITES-LES ENSEMBLE.

Selon toi, quel moi est représenté par chacun des personnages de la page 28 ?

Y en a-t-il un qui te ressemble dans certaines situations ?

DING ! DING !

Nomme ou dessine six petits moi que tu as en toi.

Est-ce que ce sont toujours les mêmes qui sont présents à la maison ? À l'école ? Avec tes amis ?

Lequel préfères-tu ? Lequel est le plus difficile à maîtriser ?

Nommes-en un que tu aimerais travailler ou améliorer.

DING ! DING !

Choisis deux petits moi qui combattent à l'intérieur de toi.

Explique dans quelles situations ils s'affrontent généralement.

Quelles sont les forces et les limites de chacun d'eux ?

Trouve une image, un accessoire, un objet ou un animal qui pourrait les représenter.

DING ! DING !

Si tu en as envie, dessine-les dans un ring de boxe ou fabrique des marionnettes qui les représentent.

Que ce soit avec ton dessin ou avec tes marionnettes, tu peux les faire parler entre eux ou construire une saynète.

TROUVE PLUSIEURS AUTRES ACTIVITÉS À :
WWW.EDITIONSAF.COM
TROUSSES PÉDAGOGIQUES AUSSI OFFERTES À :
WWW.EDITIONSAF.COM

Certaines activités proposées proviennent de formations données par Mélanie Filion et Richard Robillard.